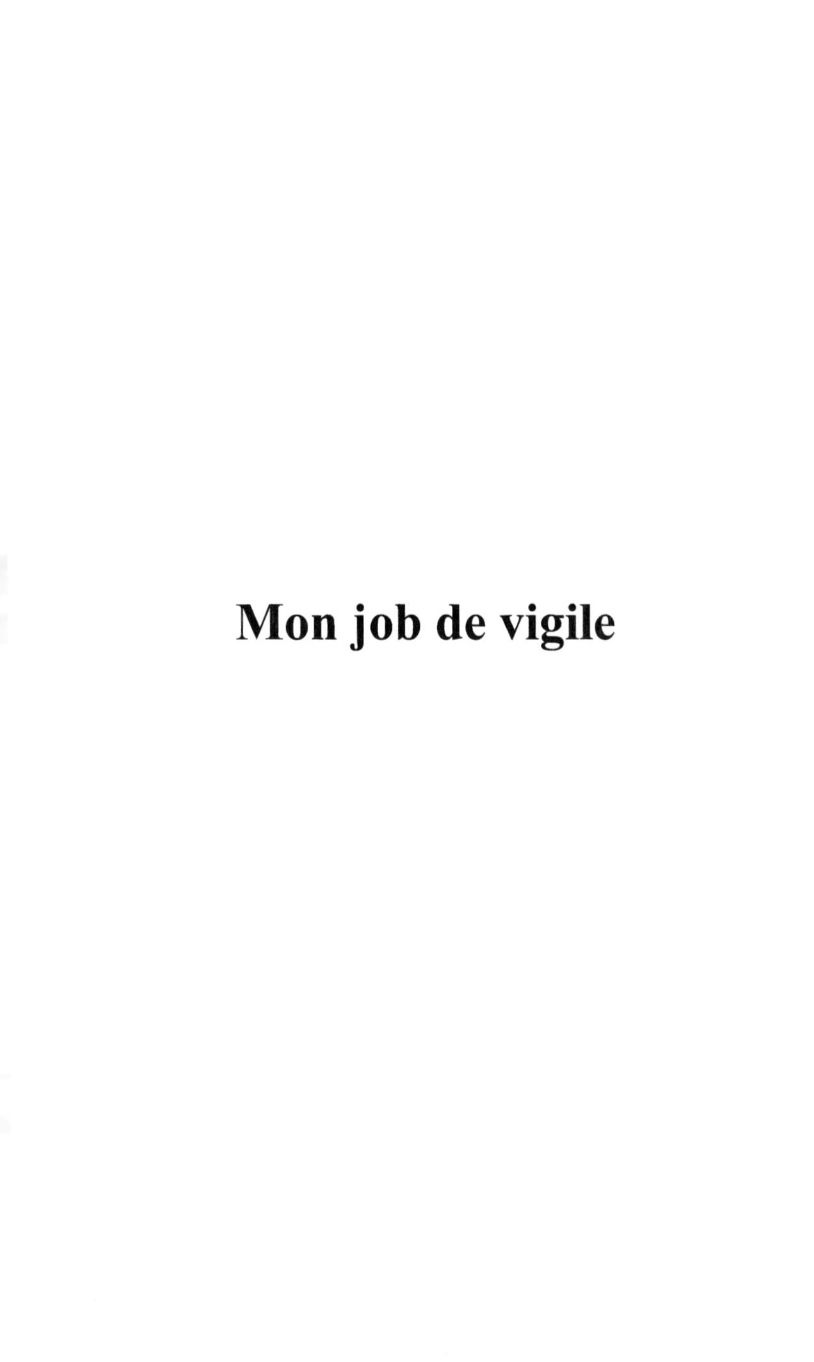

Mon job de vigile

Vainqueur Makema

Mon job de vigile

Roman

ISBN : 979-10-377-0570-9

Préface

L'autobiographie est un des genres littéraires très prisés par ceux et celles qui, tirant de leur vie, une source enrichissante d'expériences fastes ou néfastes, voudraient la partager pour édifier, prévenir, prémunir, orienter, sauver, rassurer les autres, pour que leur vie soit un chemin de joie et non un chemin de croix, selon les évènements rencontrés.

C'est fort de ce principe humaniste et manifeste que Vainqueur Makema, auteur du présent partage lyrique, prend la plume pour ouvrir le livre de sa vie bien qu'encore en pleine phase de parturition, il n'en demeure pas moins riche en enseignements et donne à penser que le destin, il faut savoir saisir sa main, et ne pas attendre demain pour lui répondre, alors que l'on ne sait pas si une opportunité pourrait mieux se présenter qu'à l'instant précis où elle toque à votre porte.

Vainqueur Makema nous plonge dans *Mon job de vigile*, une leçon de vie sans complexe devant ce qui a priori apparaît chez le commun des mortels comme une basse besogne, une profession pour des moins que rien dans la société, si ce n'est à servir de faire valoir à d'autres professions autrement plus enviables par ce qu'on leur donne comme valeur somme toute relative dans la vie des hommes, car à bien voir les choses, aucun travail n'est insignifiant comme a su nous le dire et le démonter le pasteur Martin Luther King junior, dans *La force d'aimer* : « Il n'y a pas de sot métier, il n'y a que de sottes gens (…), tout travail a de la dignité et de l'importance » [1]. Il suffit d'intérioriser le conseil et l'impérative recommandation du grand humaniste supra évoqué : « Sois le meilleur quoique tu sois ! »…

Oui ! Dans la vie, tout ce que l'on fait, l'on exerce comme fonction de ses mains, de sa tête ou de ses pieds, qui concourt au bien de l'humanité, il faut y mettre son cœur, son âme pour voir pousser des fleurs, donner des fruits et en savourer tout le bonheur, après investissement physique ou spirituel. C'est à ce dessein que Vainqueur Makema ouvre l'intime demeure de sa vie privée pour en faire un sujet de réflexion quant au sens à donner à ce que l'homme est appelé à gérer comme vicissitudes dans sa quête d'assises sociales. Entre le rêve d'une carrière d'enseignant de Français, féru des Belles Lettres et admirateur passionné des grandes plumes et de littérature française et l'échec au concours d'entrée à la prestigieuse école de formation au sacerdoce de

Montaigne ou de Rousseau, le narrateur auteur doit se résoudre avec sagesse à saisir à-bras-le-corps, le corps de vigile dont il ne pouvait imaginer qu'il y tirerait un meilleur parti pour son extraordinaire destin.

Oui, insaisissable destin ! Comme le disait si bien le sage malien Amadou Hampaté Bâ, dans son roman *L'étrange destin de Wangrin* : « Ô destin ! Tu es une ombre bizarre. Quand on veut te tuer,

Tu fuis

Quand on te fuit,

Tu suis. [1]»

On vit son destin, comme on vit sans tricher avec l'évidence, car rien n'est le fruit du hasard, mais bien la somme de ce qui est raisonnable mêlé à notre volonté d'assumer pleinement nos choix, nos ambitions, nos rêves, nos désirs selon nos potentialités, notre audace, notre capacité à transcender les blocages psychologiques, les appréhensions morbides de ce que pense le prochain de nos entreprises. La vie, nous apprend le jeune romancier du réalisme balzacien, est une question de vision clairvoyante en ce que Jacques Romain, dans *Gouverneurs de la rosée,* assène avec sagacité, parlant de l'homme comme étant : « le boulanger de

---

[1] AMADOU, Hampaté Bâ. – Ô destin ! Tu es une ombre bizarre. Quand on veut te tuer, Tu fuis Quand on te fuit, Tu suis.

sa vie »[2]. Personne, en dehors de l'être humain lui-même, ne saura mieux cuire son pain quotidien.

Vainqueur des pesanteurs et des peurs exogènes à l'œuvre individuelle, suscitées par tous ces tiers qui entourent l'homme, obligé de partager le même espace social et partant de ses folies et ses phobies parfois injustifiées et terrorisant sa quiétude, l'on assiste à l'accomplissement d'un destin merveilleux au-delà des espérances passant de l'angoisse de la poisse à la grâce de la Providence qui donne en abondance à celui qui, sans dormir sur ses lauriers, s'active à donner le meilleur de lui-même, comme nous l'a recommandé Martin Luther King.

On récolte dès lors, les fruits juteux de son zèle et de son ardeur au travail. Si la vie est un long processus évolutif avec des moments d'incertitude, de tâtonnement, d'atermoiements, de prospection fébrile comme Vainqueur Makema l'illustre bien dans « l'apprentissage de la vie », la première partie de son roman qui en compte trois, elle est tout aussi bien un parcours rude, exaltant, éprouvant certes, mais d'appropriation de son destin par un effort sans cesse renouvelé de s'investir pleinement dans l'exercice de son job, celui qu'on a choisi ou qui s'est offert à vous, comme le vigile, notre narrateur, auteur et acteur qui nous plonge dans les méandres de ce noble métier

---

[2] ROMAIN, Jacques. – *Gouverneurs de la rosée Gouverneurs de la rosée*

dans la deuxième partie de son livre.

Ainsi fait, la quête de l'identité dans la troisième et dernière partie de l'œuvre peut se révéler comme l'heureux couronnement d'une entreprise de longue haleine où le cœur à l'ouvrage est incontestablement, la recette affriolante pour espérer mériter une place au beau soleil et ses doux rayons à la fois de lumière et de chaleur, pour le destin de l'homme sur cette terre si généreuse, donnant à qui la cultive, de son énergie spirituelle, de sa sueur corporelle, des dividendes chaque jour plus grands, plus abondants pour étancher notre soif et assouvir notre petite gourmandise de perpétuel affamé du pain de la vie.

Leçon de vie comme annoncée supra, *Mon job de vigile* est une passionnante page du livre de la vie de son auteur, mais bien au-delà, de l'homme dans ses rapports avec le travail, avec le prochain, avec les sentiments amoureux, avec la hiérarchie professionnelle, avec la famille nucléaire, avec la nature humaine dans sa complexité, dans ses contingences, dans ses forces invisibles, imprévisibles, dans ses merveilles quand on a su les convoquer par notre agir, les dompter par notre générosité.

Le travail, quel qu'il soit, est source de bienfait pour celui qui l'exerce, pour ceux qui en attendent les retombées, pour la société entière.

Gageons que notre auteur, après ce coup d'essai

lyrique qui a arpenté les méandres privés de sa vie intime ne tardera pas à prospecter de nouveaux chantiers romanesques et pourquoi pas dramatiques et poétiques, car, il nous a paru, dans l'art de la narration, plein d'allant qui dévoile à coup sûr un talent littéraire dont on va entendre parler au-delà des frontières nationales.

Bon vent lyrique !

Pierre NTSEMOU, écrivain & critique littéraire

Prologue

Entre le personnel de la direction des examens et concours (D.E.C) qui se ruait dans tous les sens, on dirait des termites dont la tanière venait d'être détruite, nous les élèves, nous nous bousculions dans la cour, dans le but de voir nos noms sur les listes d'admis, qu'on affichait sur des murs non peints, et attaqués par la moisissure.

C'était pour la deuxième fois que je me retrouvais là, c'est-à-dire, pour la seconde fois que je passais l'examen du baccalauréat. Conscient que mon premier échec avait été causé par la folie de mes sentiments vis-à-vis de Jolina, la deuxième année, je m'étais résigné, et déconnecté de toute distraction. Au regard de tous les sacrifices que j'avais dû consentir, je n'avais qu'un seul but : en finir avec le BAC. Ce qui fut fait, car cette fois, mon nom figurait bel et bien sur la liste des admis.

J'avais alors éprouvé, d'abord un sentiment de peur étrange, un peu comme si j'étais enchaîné, et qu'on venait subitement de me lâcher pour affronter un adversaire plus fort que moi : la vie. Suivi d'un chagrin, car j'aurais bien voulu qu'elle soit là, ma défunte grand-mère. Elle qui m'avait tant fortifié.

Déporté d'un département vers un autre, mémé me disait qu'elle ne serait pas née, si son oncle n'avait pas eu l'initiative de la faire quitter le village de ses parents, lorsqu'elle était encore toute petite. Chaque fois que sa maman tombait enceinte, elle perdait toujours ses bébés. Mémé disait que le village en question était dominé par des sorciers qui soit, chassaient les gens normaux, lorsqu'ils étaient spirituellement forts ; soit les dévoraient mystiquement, lorsque ceux-ci étaient faibles. Arrivé au nouvel asile, son oncle lui acheta deux serviteurs, ainsi qu'une énorme étendue de terre où ils installèrent des fermes de poules et de moutons.

Quelques jours avant sa mort, mémé m'avait fait venir au village, et m'avait posé la question suivante :

— *Que voudrais-tu que je t'offre ?* Je lui avais répondu :

— *Je ne sais pas mémé ! Tout ce que tu pourras m'offrir aura toujours de la valeur à mes yeux.*

Elle m'avait au final donné un drap jaune or, en tissu lourd orné de fleurs, et m'avait dit :

— *Tiens, ce drap te protégera contre le froid et les moustiques (...).*

Durant mes quatre années passées au lycée, j'étais fasciné par la littérature française, ainsi que subjugué par ses imminents auteurs. Cette fascination avait construit en moi le désir de devenir « professeur de Français ». C'est ce qui m'avait motivé de présenter, mais en vain, le concours d'entrée à l'École Normale Supérieure de l'université Marien Ngouabi. Désespéré, je voyais cependant ce rêve, tomber à l'eau.

D'aucuns disaient que dans les instituts où l'admission se fait par voie de concours, le taux d'admission par mérite était très faible, et que les admis étaient soit issus de bonne famille, soit ils jouissaient des « tuyaux », c'est-à-dire, des contacts bien placés au niveau de la scolarité, qui facilitaient leur admission, moyennant quelques billets de franc C.F.A.

Obligé de prendre une inscription à la Faculté de Lettres et des Sciences Humaines, où l'inscription était ouverte à tout le monde certes, mais au lieu d'être inscrit dans la filière pour laquelle on avait postulé, on pouvait retrouver son nom inscrit dans une quelconque autre filière, qu'elle vous plaise ou non. J'avais sollicité d'être orienté en Langue et Littérature Française, j'avais été balancé en Langue et Littérature Africaine. Étudier des langues vernaculaires à savoir, le lingala, le kituba, et avoir comme module la phonétique, la linguistique, me saoulait. Très vite, j'avais fini par prendre une décision, celle de postuler au poste d'Agent de Prévention et de Sécurité (A.P.S). Un métier qui va totalement chambouler ma vie.

Première partie
« L'apprentissage de la vie »

Chapitre 1

Ce fut un samedi de septembre 2010. Il était précisément 6 h du matin. Nous étions une cinquantaine de candidats en quête d'un emploi. Le Boulevard Alfred Raoul fut le point de rassemblement qui nous avait été indiqué au téléphone par l'opérateur de la société en charge du recrutement. Les consignes de ce dernier étaient claires et précises :

— *Au moindre retard, à la moindre maladresse, ou indélicatesse, le candidat verra son nom être purement et simplement rayé de la liste.*

À défaut de trouver mieux ailleurs, postuler au poste d'agent de sécurité était une opportunité à ne pas rater. Alors, pour faire bonne impression, nous étions donc super excités. Non pas parce que nous étions passionnés de ce job, mais parce que celui-ci était l'unique alternative, un refuge en quelque sorte, pour tous les oubliés de la fonction publique.

Ce lieu, à la fois historique et magique figure sans doute dans les annales de l'histoire du Congo. Car situé entre le palais des congrès du côté gauche lorsque l'on regarde vers le stade Alphonse Massamba Débat, et le ministère des Affaires étrangères à droite, le Boulevard Alfred Raoul est aussi encadré des deux côtés, de deux grandes forêts artificielles. Construite dans les années soixante (60) par la section de génie civil de l'armée congolaise avec l'abnégation du commandant Alfred Raoul, il abrite chaque année les défilés civil et militaire portant les festivités de célébration de la fête d'indépendance de la République du Congo. Était-ce un rendez-vous avec l'histoire ?

Vêtu d'un maillot blanc de l'équipe du Réal de Madrid avec le chiffre dix (10) à l'endos, une paire de baskets noires qui laissait apparaître la tête d'un coq, c'est en joggant que j'arrivais sur les lieux. Les premiers arrivés étaient constitués en petite section de deux, trois, quatre, et plus, discutant de tout et de rien. Mon attention fut captivée par deux jeunes gens qui suivaient attentivement le discours d'un autre candidat, lui relativement plus âgé qu'eux.

— *Nos dirigeants amassent de l'argent et préfèrent aller le placer dans les banques occidentales, s'exclamait-il. Pendant que le peuple meurt de faim et peine à joindre les deux bouts. Regardez-moi, je suis retraité de la fonction publique, j'étais enseignant et depuis que je suis à la maison, voilà neuf mois, je n'ai pas encore touché ma pension.*

L'État ne parvient même pas à mieux traiter les agents qui lui ont rendu tant de services.

Sans même que le mot « Agent » puisse totalement être sorti de sa bouche, un des deux jeunes candidats, visiblement avec l'air sûr et diplomate, réagit avec force en déclarant :

« *Non, papa ! Quelques années plutôt, avant que le prix du baril de pétrole ne chute, lorsque la situation économique du pays était meilleure, reconnaissez que les salaires et pensions étaient payés régulièrement ! Nous devrions aussi comprendre que le pays traverse une crise* ».

Pendant qu'il s'efforçait de persuader notre doyen, il m'esquissait des jets de regard, cherchant mon acquiescement. Bien sûr, je ne partageais pas son point de vue. Je boudai dans mon for intérieur et me disais que ce pays a trop de richesses, de potentiel géologique, hydrographique, climatique et j'en passe, pour qu'on en arrive là. Du fond de mon cœur, je concluais : *« Laisse mon frère, l'État a très mal géré les biens publics et les richesses nationales »*.

À l'instant, un véhicule 4x4 blanc s'immobilisa devant nous. Il était décoré de la carte du Congo, avec les couleurs vert, jaune et rouge, sur laquelle carte était gravé en gras « SCAB-CONGO ». Un homme blanc sortit de la cabine, cheveux blancs, long on dirait un bordelais. Le visage serré, une culotte kaki enfilée d'un polo blanc griffé Ralph Lauren, un peu comme les golfeurs, il était difficile de ne pas remarquer ses gros mollins velus de poils roux.

Après un court moment de silence où il s'est fait le plaisir de nous : « visager et dévisager », il finit par nous lancer :

— Bonjour, tout le monde.

— Bonjour !!! Avions-nous répondu avec empressement.

— Je me nomme Georges Niéto, je suis le Responsable Technique des Opérations (R.T.O), de la Société SCAB-CONGO. Vous savez déjà tous pourquoi vous êtes là, et donc voici les règles du jeu.

Arrivant à alterner entre humeur et fermeté, Monsieur Niéto nous expliquait comment devrait se dérouler le test, quelques règles de sécurité bonnes à savoir, et un aperçu sur le métier de la sécurité et du gardiennage :

— La fonction d'Agent de Prévention et de Sécurité (A.P.S) est un métier en pleine expansion, qui consiste à sécuriser des personnes et des biens, dans des espaces publics ou privés, à travers des contrôles d'accès, une gestion des risques ainsi que l'escorte des fonds et des matières précieuses.

Le test de recrutement devrait se dérouler en deux phases : l'épreuve d'aptitude physique, à travers une course marathon chronométrée, ainsi que l'épreuve écrite constituée d'une dictée et d'une rédaction.

Le carré était composé de candidats qui, juste à les

voir, étaient soit étudiants, soit diplômés sans emploi, soit chômeurs dans les domaines tels que la finance, l'administration d'entreprises, la communication, sans oublier notre doyen le retraité.

À vingt-deux ans avec une taille d'un mètre soixante-quinze, pour soixante Kilos, non-fumeur, ni consommateur d'alcool, je dirais plutôt que j'avais « la silhouette idéale » pour ce genre d'exercice. Le signal de départ fut donné. Nous nous lançâmes dans la course.

Je courrai alors, sans me soucier de rien ; j'étais confiant et déterminé à décrocher ce job qui devrait en quelque sorte changer ma vie, et m'assurer un avenir meilleur. Nous étions encadrés par deux véhicules de la société parmi lesquels, un bus qui devrait se charger d'embarquer tous ceux qui pouvaient éventuellement abdiquer. L'itinéraire formait un cercle. Du Boulevard Denis Sassou Nguesso, nous devrions contourner le rond-point de l'aéroport Maya-Maya, longer l'avenue de l'aéroport, en passant par l'avenue dite des « dix maisons », par la commune de Moungali, ensuite prendre l'avenue de la Paix, puis celle des Trois martyrs, et enfin revenir devant le parvis de la Cour constitutionnelle.

Bercés par le bruit harmonieux de nos pas sur le macadam, nous étions tous devenus silencieux. Cette tranquillité, que nous infligeait la fatigue, nous laissait indifférents face aux phrases du genre :

— « *Mana lou mana yo* » tirées du dialecte « Lari » et qui signifie *« Vous devriez la terminer »*, que nous lançaient certains passagers à bord des bus. Cette phrase teintée d'ironie voulait aussi dire *« Qui cherche trouve, et qui trouve supporte »*. D'autres par contre, nous encourageaient avec des phrases fortifiantes comme *« Courage ! » ou « La vie appartient à ceux qui luttent »*.

Cette seconde citation de Victor Hugo avait eu une forte résonnance dans ma tête, car lutter était devenu « ma raison de vivre ». Né d'un père charpentier, alcoolique et colérique et d'une mère ménagère, je n'avais pas eu ce qu'on peut appeler « une enfance heureuse ». D'abord, à cause des disputes sempiternelles tous les soirs entre maman et papa, lorsque celui-ci était rentré tard et saoul, ou n'avait rien laissé pour le repas de midi. Alors, maman essayait de noyer son chagrin en déversant sur papa, des insultes les plus humiliantes, ou des propos de malédiction, au grand plaisir des voisins.

Ce qui avait abouti à la séparation de ces derniers, qui avait carrément changé le cours de mon destin. Je m'étais très vite mis au travail. Car seul le travail me procurait de la dignité, et de la confiance dont j'avais tant besoin pour avancer. J'étais motivé par l'idée que je devais travailler d'arrache-pied si je voulais réussir dans ma vie, puisque ceux qui étaient censés le faire avaient déjà gâché la leur.

Ainsi, à part le fait que je leur éprouvais de la reconnaissance pour m'avoir néanmoins donné le souffle de vie, je ne parvenais pas à m'identifier à eux. Je ne dis pas que mon souhait saurait de les voir riches, posséder de jolies villas, ou des voitures de luxe, mais j'aurais bien aimé qu'ils soient responsables, rien que ça.

J'avais du mal à m'épanouir. À l'école avec des camarades, je ne cessais d'être un sujet de raillerie. À chaque fois, il fallait que quelqu'un me rappelle une de leurs virulentes disputes ou bagarres, leur excès d'indélicatesses, les insultes mutuelles et grossières qu'ils se lançaient, et bien d'autres excès. Tout cela affectait beaucoup mon psychisme, mais je tenais de vivre avec.

Dans sa célèbre théorie de « L'existentialisme est un humanisme », le philosophe et littéraire Jean Paul Sartre n'affirmait-il pas que « L'existence précède l'essence »[3] ? Je reconnais que celle-ci n'eut pas l'assentiment de tous, mais moi j'en avais la vive conviction. Car l'existence de l'homme se forge à travers ses actions. Je l'avais compris c'est pourquoi je ne passais pas mes trois mois de vacances sans les rentabiliser. Je travaillais comme aide-ouvrier, manœuvre, temporaire, dans le bâtiment, ou les super marchés des indiens ou des libanais.

---

[3] SARTRE, Jean Paul. – *L'existence précède l'essence.*

Nous venions de dépasser le rond-point de l'aéroport Maya-Maya. Mon slip était tout mouillé, et ma gorge toute sèche. Sur la descente de l'avenue de l'aéroport, le rythme s'accéléra, et tout le monde se lâchait. Juste à cet instant-là, j'entendis un bruit derrière moi, suivi d'un soupir. C'était le « doyen », le retraité âgé d'une cinquantaine d'années environ, qui venait de s'effondrer sur la chaussée. Il n'en pouvait plus. Je lui lançai sans m'arrêter, un regard compatissant, car il fallait être dans les délais pour espérer décrocher le job. Sinon, *« Ejali té ! »*.

« Ejali té », c'était l'expression tirée du dialecte lingala qu'employait monsieur Georges Niéto pour renvoyer un candidat chez lui à la maison. Elle voulait dire *« Il n'y a plus rien »*.

Monsieur Georges NIETO était un ancien Colonel de l'armée française d'origine espagnole. Diplômé d'une grande école de guerre, à sa retraite il décide de se convertir dans le domaine de la sécurité privée. Ce vieux blanc d'une soixantaine d'années, aux cheveux blancs et au regard fuyant et calme, avait servi auparavant aux côtés de nombreux dirigeants africains, dont le regretté Colonel Mouammar Kadhafi, avant de poser ses valises à Brazzaville, où il sera recruté comme R.T.O. de la Société privée de gardiennage, la SCAB-CONGO.

Équipée et organisée, cette société, créée depuis octobre 1975, se spécialise d'abord dans le secteur de la construction et de l'aménagement du territoire, avant de se consacrer entièrement, à cause du génie et de la vision de Monsieur Alphonse NZOMAMBOU son P.D.G, au domaine de la sécurité privée. La politique et la stratégie de recruter des expatriés placés à des postes de direction vont s'avérer payantes. Car très vite, la SCAB-CONGO va connaître un essor explosif, raflant d'importants contrats, la sécurisation de grands édifices des deux capitales dont l'ambassade de France, la résidence de l'ambassadeur de France, le siège de la délégation de l'Union Européenne, y compris les différentes résidences de ses diplomates, les plateformes et villas de la Société pétrolière Total E.P Congo, les sites de la société pétrolière Italienne E.N.I, la grande tour Nambémba abritant plusieurs cabinets de ministères stratégiques, comme le ministère des zones économiques spéciales, les banques comme La Banque commerciale internationale (B.C.I), la Congolaise des banques (L.C.B), la Banque crédit du Congo, la Banque postale, la B.G.F.I Bank, la Banque sino-congolaise, ou les Mutuelles Congolaises d'Épargne et du Crédit (MU.CO.DE.C). La présence des agents SCAB dans ces différentes entreprises renforçait la confiance de ses partenaires, et rassurait les potentiels nouveaux investisseurs.

Ce succès était dû certes, au savoir-faire et au professionnalisme de son Boss, mais aussi grâce aux bonnes relations que jouissait Monsieur Georges Niéto dans le milieu des entreprises, et de plusieurs dirigeants d'importantes firmes multinationales des représentants d'organismes internationaux. Aussi la majorité d'influentes personnalités de la sphère politique congolaise était ses potes.

Une heure plus tard, nous franchîmes la ligne d'arrivée, épuisés et en sueur. Pendant que les organisateurs nous distribuaient des bouteilles d'eau minérale, certains d'entre nous étaient assis sur les pavés, tandis que d'autres allongés sur le gazon en train de respirer l'air pur que soufflait les eucalyptus. L'après-midi, nous étions dans l'une des salles de classe du lycée Chaminade, pour les deux épreuves écrites à savoir la dictée et la rédaction. Et le R.T.O. se chargea lui-même de nous faire la dictée.

« Poète, c'est assez. Auprès d'une infidèle
Quand ton illusion n'aurait duré qu'un jour,
N'outrage pas ce jour lorsque tu parles d'elles ;
Si l'effort est trop grand pour la faiblesse humaine
De pardonner les maux qui nous viennent d'autrui,
Épargne-toi du moins le tourment de la haine ;
À défaut du pardon, laisse venir l'oubli.
Les morts dorment en paix dans le sein de la terre ;
Ainsi doivent dormir nos sentiments éteints.
Ces reliques du cœur ont aussi leur poussière,
Sur leurs restes sacrés, ne portons pas les mains.

Pourquoi, dans ce récit d'une vive souffrance
Ne veux-tu voir qu'un rêve et qu'un amour trompé ?
Est-ce donc sans motif qu'agit la providence,
Et crois-tu donc distrait le Dieu qui t'a frappé ?
Le coup dont tu te plains t'a préservé peut-être,
Enfant, car c'est par là que ton cœur s'est ouvert.
L'homme est un apprenti, la douleur est son maître
Et nul ne se connaît tant qu'il n'a pas souffert.
C'est une dure loi, mais une loi suprême,
Vieille comme le monde et la fatalité,
Qu'il nous faut du malheur recevoir le baptême,
Et qu'à ce triste prix tout doit être acheté ».

La nuit d'octobre (1837), célèbre poème d'Alfred de Musset, fut le texte qui nous avait été donné comme dictée. J'étais serein pour avoir étudié et mémorisé ce poème par cœur au lycée.

Les deux organisateurs, qui n'étaient autre que des employés de la boîte, passaient pour ramasser les copies. Je les observais et je n'avais pas pu m'empêcher d'admirer leurs bonnes formes physiques dans leurs uniformes impeccablement repassés. Ils étaient jeunes, mais paraissaient plus grands, à cause de leur finesse ou encore de l'assurance de soi qu'ils dégageaient. Le soir, après l'épreuve de rédaction, je rentrais chez moi épuisé. En route, je m'étais mis à penser à Jolina.

Jolina était la fille dont j'étais tombé follement amoureux au collège à l'âge de 16 ans alors que j'étais en classe de troisième et elle en cinquième. Quelques années plus tôt, nous étions ensemble au CM2, et c'est notre adversité dans le travail qui avait fini par nous rapprocher. Intelligente et brillante élève, elle était toujours première de la classe, et ce, malgré les efforts et ma détermination à vouloir l'évincer, elle était toujours première, même lorsqu'elle venait composer tout en étant malade.

Je me souviens, par exemple, lors d'une évaluation d'un test du Brevet d'Études du Premier Cycle (B.E.P.C), elle était arrivée avec un retard d'environ trente (30) minutes. Elle m'avait prévenu la veille qu'elle souffrait d'une carie dentaire, mais je ne m'attendais pas à ce qu'elle vienne. Malgré la permission que ses parents avaient pu obtenir de la scolarité pour son absence, elle avait insisté de venir composer. Tel était son caractère.

Arrivée en classe de cinquième, Jolina s'était métamorphosée. Sa poitrine avait germé, et son postérieur s'était arrondi. Lorsqu'elle mettait une robe ou une jupe, elle ressemblait à ces femmes de la *famille kardashon*. Ainsi, j'avais fini par lui déclarer mes sentiments. Jolina n'avait pas répondu à ma requête, et pourtant dans mon dos j'apprenais à l'école qu'elle s'était liée d'amitié avec un garçon dénommé : Trésor.

Trésor, était le jeune garçon, gros et timide qui s'asseyait souvent au fond de la classe, mais était toujours présent à la cantine. Certains élèves de la classe de sixième l'avaient surnommé *« Le bouffe tout vore »*, en se référant à l'appellation carnivore, à cause de sa gloutonnerie. Fils unique et chéri d'un couple de fonctionnaires aisés et bien installés dans le quartier chic de SO.NA.CO, Trésor était devenu, au collège, un garçon populaire, branché, faisant le RAP, consommant des liqueurs fortes, et fumant ce truc qu'on appelle *« la chicha ».* C'est comme ça qu'un soir alors que je discutais affectueusement avec Jolina, nous fûmes interrompus par un « Bonsoir » inattendu.

Je tournai ma tête afin de pouvoir voir la personne et là je découvris Trésor.

— *Oui bonsoir !* lui répondis-je avec un sourire qui m'était resté aux lèvres, quand Jolina tentait d'introduire sa main dans mon pantalon, pour d'après elle, pêcher le poisson.

— *Quelqu'un peut-il m'expliquer ce qui se passe ici ?* déclara-t-il.

— *Ce qui se passe c'est qu'un couple d'amoureux était en train de discuter affectueusement, avant de se faire interrompre par une personne qui, non seulement n'a pas eu la civilité de se présenter, mais dont on ignore également l'objet de la présence*, lui disais-je.

Sans me répondre, il se tourna vers Jolina, et lui demanda : *« Et toi, que fais-tu là ? ».*

La jeune fille ne donna aucune réponse. Irrité, Trésor voulut la frapper, heureusement je m'étais interposé. Nous avions échangé des coups de poing, avant d'être séparés quelques minutes plus tard, par des passants (…). Ces souvenirs d'enfance m'accompagnaient inexorablement.

Chapitre 2

Un mois plus tard, nous étions vingt-cinq personnes à être appelées au siège de la SCAB-CONGO pour des formalités. En effet, un mois plus tôt, nous étions conviés à une formation d'intégration au cours de laquelle nous avions appris les techniques de base, utiles pour exercer le métier d'Agent de Prévention et de Sécurité (A.P.S). Nous avions, par exemple, appris les techniques d'accueil, la prévention, la gestion des risques d'incendie, l'hygiène de vie, le self défense, l'utilisation du Talkie-walkie, et enfin l'alphabet de l'Organisation du Traité Atlantic-Nord (O.T.A.N). Ainsi qu'il suit :

A- Alpha
B- Bravo
C- Charly
D- Delta
E- Echo
F- Fox-trot
G- Golf

H- Hôtel
I- India
J- Juliet
K- Kilo
L- Lima
M- Mike
N- November
O- Oscar
P- Papa
Q- Quebec
R- Roméo
S- Sierra
T- Tango
U- Uniform
V- Victor
W- Whiskey
X- X-ray
Y- Yankee
Z- Zulu.

La Société SCAB-CONGO, est située au centre-ville de Brazzaville, sur l'avenue Nelson Mandela non loin de l'Hôtel Mickaël. Elle occupe deux concessions d'environ trente (30) mètres carrés chacune. Elles se trouvent côte à côte avec respectivement un grand bâtiment. L'un un R+2, et l'autre un R+1 dont, l'architecture témoignait encore d'une architecture d'une époque coloniale historiquement douloureuse.

Le premier dénommé « Agence Alpha », abritait les services administratifs, financiers, plus le bureau du Chef d'agence au deuxième étage. Le second bâtiment dénommé « Agence Bravo » abritait le Service technique des opérations, avec une télésurveillance aux allures de la cellule anti-terroriste dans la série *24 heures chrono de Jack Bower, s*ans oublier, le Service de régulation qui avait le rôle de contrôler et de vérifier les présences dans différents sites, puis rendait compte au Service des ressources humaines. Enfin, le magasin, la salle des contrôleurs, et la salle de formation où nous étions installés.

— *Votre attention, s'il vous plaît.*

Monsieur Georges Niéto prit la parole. À ses côtés se tenait un Monsieur à la teinture sombre, c'était le P.D.G.

— Après un mois de sacrifice et de travail acharné, nous sommes ravis de vous accueillir aujourd'hui dans ces locaux, pour la phase finale du processus de votre intégration au sein de notre société, disait-il avec enchantement.

Le Boss m'avait donné, dès le premier contact une image très positive. Une voix basse, un regard perçant un air comique mais objectif. Par son franc-parler et son esprit d'ouverture, j'avais vu et lu en lui l'image d'une personne qui avait traversé bien des étapes avant d'en arriver là. Il nous parlait sans détour, et nous expliquait la réalité du métier sans feindre. Il nous décrivait avec des exemples à l'appui de différentes éventuelles situations auxquelles nous pourrions être confrontées. Il nous disait, par exemple, que les sites dont nous avons la garde, ne sont pas des lieux touristiques, je vous invite donc, lorsque vous y serez, d'augmenter votre vigilance. Car c'est bien vous qui serez la première cible des malfaiteurs.

Le patron attachait du prix à cette séance d'échange avec les nouvelles recrues. Il ne cessait d'affirmer que :

— *Vous êtes les nouveaux ambassadeurs de la SCAB-CONGO. C'est à travers vous que nous serons tous jugés. Tâchez donc de donner le meilleur de vous-même. C'est en appliquant les enseignements et consignes appris lors de la formation que vous parviendrez à sauvegarder et à consolider l'image ainsi que la bonne réputation de notre boîte.*

Après les propos du P.D.G, c'était le tour du responsable des ressources humaines, qui après nous avoir expliqué l'importance des fiches de pointage, ainsi que la nécessité de toujours rédiger un rapport à la fin de la faction, aborda un sujet qui avait retenu mon attention. Il faisait allusion aux sites de la délégation de l'Union Européenne au Congo. Un ensemble constitué d'une dizaine de sites, partant des locaux administratifs, aux résidences des diplomates.

Dans les clauses du contrat, le client avait exigé un certain nombre de conditions à l'endroit de la SCAB. À cet effet, pour éviter toute forme d'injustice, la société procédait à un système d'évaluation des compétences des A.P.S en se focalisant sur les trois (03) S, à savoir : 1. Le savoir-être ; 2. Le savoir-faire ; 3. Le savoir-faire faire. Ces qualités étaient décelées soit par les contrôleurs de sites, soit par le client du site. Il concluait en déclarant :

— *Vos efforts ne resteront pas vains, si vous bossez dur et fassiez preuve de professionnalisme, la SCAB-CONGO se souviendra de vous. Certes aujourd'hui, vous intégrez la boîte en tant qu'A.P. S, mais après vous pouvez finir comme chef de poste (C.P), Contrôleur de site (Québec siérra), Intervenant (Québec india), Convoyeur des fonds (Charly fox-trot), Maître-chien, etc. poursuivait-il.*

— *Vous pourrez aussi être promus ou affectés à l'Union Européenne et bénéficier de tous les avantages y afférents, conformément à la convention qui nous lie avec cette organisation internationale.*

À l'Union Européenne, les agents jouissaient de plusieurs avantages ainsi que d'un traitement particulier, à savoir : la durée du temps de travail, qui était de huit heures du temps, fonctionnant de façon rotative à travers un système de 3-8, c'est-à-dire de 6 h 30 à 14 h 30, de 14 h 30 à 22 h 30, et de 22 h 30 à 6 h 30. La rémunération ne restait pas en marge, car les vigiles de l'Union Européenne touchaient un salaire plus élevé, et avaient d'office, droit à un contrat à durée indéterminée (C.D.I), sans oublier leurs badges qui suscitaient mon enthousiasme avec à l'angle droit, la couleur bleue du drapeau de l'Union Européenne, ainsi que les étoiles en blanc dont le nombre symbolisent les États membres. Pour terminer, il nous avait fait signer des contrats d'essai d'une durée de deux mois.

— *Je vous souhaite donc bonne chance,* concluait-il.

La parole était redonnée ensuite à Monsieur Georges Niéto :

— *Suivez-moi.* Avant de nous orienter vers le magasin où le magasinier se chargea de donner à chacun son uniforme et le matériel de travail. Le même soir, il y avait déficit du personnel dans les sites à cause d'un gros contrat que la société venait de décrocher. Georges Niéto nous avait alors demandé s'il y avait parmi nous des volontaires qui voulaient bien commencer le job le même soir. Ainsi, j'étais de ceux qui avaient répondu aussitôt à cet appel.

La Société SCAB-CONGO venait de m'offrir une opportunité, une chance pour réaliser mes rêves. J'avais, à cet effet, hâte de pouvoir m'y lancer, car je sentais mon corps et mon esprit y être disposés. Bien évidemment, je me devais de donner à mes recruteurs l'image de quelqu'un qui était, non seulement enthousiasmé et motivé, mais également disponible pour le job.

Le bus de la société où nous étions embarqués comme des sardines, sillonna une grande partie du centre-ville de Brazzaville, en passant de site en site pour soit compléter un APS en moins, soit déposer des renforts dans un site jugé sensible, soit encore simplement déposer des A.P.S pour l'ouverture d'un site, avant d'arriver à « Sierra Bravo 4 ».

« Sierra Bravo 4 » était le code du site qui désignait le port fluvial de Yoro. Placé sous la tutelle du port autonome de l'Agence Transcongolaise des Communications (A.T.C) de Brazzaville, le Beach de YORO comme préfèrent l'appeler les brazzavillois, relit les deux capitales les plus rapprochées au monde, il dessert de nombreuses villes comme Oyo, Mossaka, etc. À défaut d'être témoin de l'affaire des disparus du Beach, le port fluvial de Yoro pouvait se réjouir du fait qu'il constituait un point d'approvisionnement important en produits de première nécessité comme le foufou, le poisson d'eau douce, le poisson fumé, la banane plantain, ou le bétail, que les commerçants des grands marchés de la capitale venaient acheter tous les matins. Entre d'un côté les carcasses de ferraille des barges, et de l'autre les entrepôts remplis d'ordure, Yoro donnait plutôt l'impression d'être un centre de recyclage de métaux et de déchets.

Il était dix-neuf heures, et nous étions trois agents

à y être déposés. Après nous être présentés en utilisant phonétiquement le langage de l'alphabet O.T.A.N, c'est-à-dire, en disant *« A.P.S, suivi de son nom »*, par exemple : *« A.P.S Oscar, Bravo, Alpha, sixième promotion SCAB-CONGO ».* Nous longeâmes la route carrossable à pied afin d'atteindre le débarcadère. De là, j'observais avec curiosité le bateau *« Fleuve Congo »* qui accostait, tractant trois longues barges sur lesquelles étaient entassés des marchandises, des hommes, des femmes et des enfants.

Après une prise de contact avec l'équipe descendante, nous avions effectué une ronde de reconnaissance des lieux, suivie d'une passation des consignes.

Notre bureau était composé d'une guérite, avec une table en bois rouge sur laquelle se trouvait un grand registre noir, plus deux stylos dont un bleu et l'autre de couleur rouge. À gauche, se dressait une armoire métallique dans laquelle, il y avait des torches, des imperméables et des tanfa. Enfin, une douche et un W.C se tenaient juste côte à côte au bout du couloir.

En dehors du poste où nous effectuons le contrôle des passagers, « Sierra Bravo 4 » avait deux autres postes de surveillance : le « Poste hélico » qui se trouvait au sommet, devrait toujours avoir en permanence un agent en faction afin de surveiller les barges de pétrole, d'essence, ou de Gas-oil. Et le « Poste Bravo » qui lui se trouvait à l'arrière du bateau et donnait la vue directement sur le fleuve.

Quelques minutes plus tard, après avoir ouvert la faction dans la main courante et apposé nos signatures, nous étions à nos postes respectifs. La faction avait débuté par un « Contrôle radio », organisé et supervisé par « Québec tango ». Un employé de la société, dont le job se résumait juste à empêcher le sommeil des A.P.S depuis la télésurveillance. Le « Contrôle radio » était un procédé qui consistait à contrôler les agents via les modules, et de s'assurer que ceux-ci étaient bien en état d'éveil pendant la faction. Ça ressemblait un peu à l'émission *« Appels sur l'actualité »* de *« One Gomez »* sur Radio France Internationale (R.F.I). En cas de « contact négatif », c'est-à-dire, lorsqu'un agent était resté silencieux à l'appel de « Québec Tango », ce dernier était systématiquement considéré comme selon ses termes «En état de sommeil prolongé ». « Québec Tango » instruisait alors l'équipe d'intervention qui couvrait la zone afin de passer sur le site concerné. Et lorsque les intervenants arrivaient, il était très rare que l'agent ne puisse pas écopait « une fiche », qui n'était autre qu'une sanction. Ainsi, toutes les fiches accumulées par l'agent étaient classées dans son dossier au niveau du service de gestion du personnel, et lors de l'évaluation de ce dernier les responsables s'en servaient comme éléments à conviction pour bien culpabiliser l'agent. À l'issue de cet entretien aux allures d'une séance d'audience, l'A.P.S mal noté n'avait plus assez de chance de voir son contrat être renouvelé. Car les dormeurs comme les appelait Monsieur Georges Niéto, n'avaient pas d'avenir dans la boîte. Ainsi, en dehors des quatre, voire cinq contrôles radio de « Québec tango » par faction, nous avions aussi trois à quatre passages des « Québec Sierra » ainsi que deux à trois passages des « Québec India ». Visiblement, le système était conçu de manière à ce que les agents n'aient aucune heure creuse. Ce qui faisait qu'on se retrouvait chaque heure avec soit un « contrôle radio », soit un passage de « Québec Sierra », c'est-à-dire les contrôleurs de site, ou des « Québec India », c'est-à-dire l'équipe d'intervention.

Considéré comme le site le plus dangereux par l'ensemble des Scabiens, « Sierra Bravo 4 » était, en quelque sorte, le baptême imposé par Georges Niéto pour tester le courage et la détermination de toutes les nouvelles recrues. Et les contrôleurs pouvaient déjà savoir si un agent pouvait tenir ou non dans la boîte.

Je venais de terminer mes quatre heures à la guérite, je gagnais cependant sous les gouttelettes de pluie, le « Poste Bravo » où il fallait veiller sur les trois barges de Gas-oil.

Couvert d'un imperméable SCAB-CONGO, je me trouvais à l'arrière du bateau, dans un conteneur qui me donnait une vue directement sur les trois barges. Après quelques heures, Je commençai à suspecter les aller et retour d'une pirogue au loin des abords du fleuve. Au départ, je m'étais dit que c'était certainement des pêcheurs, mais non ! eux, ils voulaient autre chose.

J'avais le pressentiment d'être surveillé. Instinctivement, je me mis à suivre leurs mouvements, et je comprenais leurs intentions. En fait, ils cherchaient à voir et à s'assurer que le site était réellement gardé. Car étant dans un conteneur dans le noir et vêtu d'un imperméable bleu de nuit, ils ne pouvaient pas me voir, seul moi avais la possibilité de les voir.

Les deux hommes étaient torses nus, je m'étais alors levé, et leur avait posé la question en lingala :

— *« Wana banani »* qui veut dire *« Qui êtes-vous ? »*. Ils avaient répondu ;

— *« Eza bisso »* c'est-à-dire *« c'est nous »* j'avais alors rétorqué ;

— *« Bino banani »* qui signifie *« vos identités ? »* À cela, ils répliquèrent ;

— *« Bisso ba Congolais »,* qui veut *dire « Nous les congolais »*. Je n'avais cependant pas eu du mal à reconnaître l'accent du dialecte lingala parlé de l'autre côté de la rive du fleuve Congo.

À l'instant, mon oreille droite avait commencé à siffler et au fond, j'entendais la voix de ma grand-mère qui me criait en lingala :

— *« Oba ! Oba ! Tika bango tika bango »*. Ce qui veut dire *« Oba, laisse-les »*.

Après cette phrase, je n'entendais plus la voix de ma grand-mère, j'assistais cependant à une scène très étrange.

Ma bouche s'était mise à prononcer des mots qui ne venaient pas de moi :

— *« Bokéndé ko regner nabino mossika, botika ngai nazo sala mossala na ngai na kimia »*. Ce qui voulait dire :

— *« Allez-y faire votre loi ailleurs, laissez-moi travailler en paix »*. Ravis de me voir leur implorer de me laisser tranquille. Ils sourirent et levèrent leurs pouces en déclarant : *« Oyébi, Péma na yo wana, toké nabisso »*.

Ce qui veut dire : *« Tu connais ! Nous te fichons la paix »*.

A « Siérra Bravo 4 », il s'opérait, un trafic de vol de l'or noir entre des bandits parfois armés qui, dans l'obscurité la plus totale et dans leurs pirogues sillonnent le fleuve en diraient des pécheurs avec le but de percer les barges afin d'y soutire le carburant qu'ils revendent ensuite au marché noir chez les revendeurs des rues de Brazza communément appelés « Les Kadhafi ». Mémé ! Ce soir-là était-ce toi qui étais venue me sauver ?

Cette première faction fut un vrai point de rencontre avec la réalité de ma vie, c'est-à-dire, celle de ma destinée.

À l'aube, de retour à la guérite, je remplissais ma fiche de pointage, avant de rédiger mon rapport. Le planning qui m'avait été donné signifiait que je devrais prester vendredi, samedi et dimanche en jour, de 6 h 30 à 18 h 30, soit douze heures de service. Ensuite, basculer en nuit le lundi, mardi et le mercredi pour enfin se reposer le jeudi.

Durant ma première semaine de travail, j'avais été utilisé comme simple « Oscar » autrement dit comme « un bouche-trou ». Les « Oscar » ressemblent aux « Sans Domicile Fixe (S.D.F) » en France. Il fallait d'abord convaincre la hiérarchie, et susciter leur confiance si on voulait mériter un site provisoirement définitif, car un jour ceux-ci pouvaient toujours vous ré-muter de là avec ou sans raison.

Convaincre un contrôleur passait à tout prix par l'assiduité et la ponctualité au poste. Même lorsqu'on était encore au pied du manguier, on se devait d'être assidu et ponctuel. Les contrôleurs avaient le flegme. Ils nous observaient avec minutie, et savaient scrutés tout sur nous : la démarche, le type de coiffure, le gestuel, le langage, etc.

Et donc si on voulait être bien évalué, il fallait commencer par être courtois envers les contrôleurs, sans oublier la pertinence des comptes rendus qui était également un critère décisif dans ce processus d'évaluation.

Le repos, j'en avais grandement besoin. Je commençais à me faire rare dans le quartier, et j'avais tellement hâte de voir le grand Moukotte, mais aussi Jolina.

Chapitre 3

Brazzaville, autrefois petit village appelé « Mfoa », et après baptisé Capitale de la France libre, n'était plus la ville que nos arrière-grands-parents avaient connue et bâtie, vers les années 50 et 60. Les cinémas grand public comme Ebina, Lux, Vox, ABC ou VOG n'existaient plus qu'à travers leurs bâtiments soient abandonnés, soient transformés en églises de réveil, soit en quincailleries, louées par des ouest-africains. La ville ne comptait plus de parc zoologique, ni de parcs d'attractions, plus rien…

De ce fait, notre « Brazza-la-verte », avec ses récurrentes coupures d'eau et d'électricité, ressemblait maintenant à un gros bourg perdu décimé par des décennies de guerre civile, à cause des dirigeants avides de pouvoir.

Situé dans la partie nord de la ville, le quartier Moukondo est un quartier divisé en deux zones : « SO.NA.CO », avec ses identiques bâtiments R+1, les deux imposants immeubles appelés « Immeubles des italiens », ses ruelles avec dalletes. Ensuite la zone dite de « Moukondo village » avec son grand ravin ou de nombreux véhicules venaient décharger des ordures, carcasses et autres trucs dégoûtants n'ayant plus aucune valeur auprès de leurs usagers.

La parcelle de mon tuteur se trouvait à quelques ruelles de la rivière « Tsiémé » et de l'école primaire de Moukondo où j'étais assis sur la fondation du long bâtiment des écoliers du CP1, donnant face au terrain de foot où s'affrontaient deux équipes du quartier, communément appelées « Ewawa ».

L'école primaire de Moukondo m'avait forgé. Je me souviens, par exemple, lorsque nous nous regroupions autour du mât tous les matins pour la levée du drapeau vert, jaune, rouge. Filles comme garçons, nous étions vêtus de nos tenues, haut de couleur kaki, et bas de couleur bleue. Chaque classe formait un carré d'élèves avec à sa tête le chef de classe, suivi par son adjoint ou adjointe. Et oui ! C'est, de nos jours, que les voix commencent à s'élever sur la cause féminine, mais à une certaine époque, la femme était considérée comme un être inférieur à l'homme. Non pas par sentiment de supériorité, mais simplement comme une logique ; naturellement, il était donc difficile, voire impossible, de voir une fille diriger une classe qu'importent ses capacités intellectuelles. Certes que l'intelligence faisait partie des critères, mais il fallait aussi être craint et respecté des autres élèves. Plutôt que d'être un petit garçon intello, bien élevé portant des lunettes et toujours pressé de répondre à toutes les questions que posent les maîtres, le chef de classe se devait d'avoir de la poigne, du courage et de l'influence sur les autres condisciples de la classe.

Les colonnes, que nous formions à la file indienne, nous dressaient la tête face à la nuque du camarade qui se trouvait devant nous. Le montant monté et le regard levé vers le ciel, non pas pour contempler les beaux nuages bleu et clair d'octobre, mais pour observer la montée du drapeau tricolore « vert-jaune-rouge », de notre cher et beau pays le Congo.

Les maîtres, le personnel de la direction y compris le directeur formaient également un carré, qui avait à sa tête le Surveillant général. Les élèves préféraient l'appeler « Monsieur le Surgé » ou encore Monsieur Madiki de son vrai nom. Il était comme le chef de classe du carré des maîtres. Grand, sombre, les yeux rouges comme le café rouge qu'il adorait prendre sans le moindre carré de sucre, c'est lui qui donnait le ton.

Après avoir fait trois grands pas en avant, notamment dans la direction du mât, le chef de classe, désigné pour la circonstance, prenait avec ses deux mains les deux fils qui gisaient le long du mât, et devrait, au signal du Surgé, commencer à tirer l'un vers le bas, pendant que celui auquel était attaché le drapeau s'élevait vers le ciel. L'élève avait intérêt à respecter le code : son gestuel, ses pas, tout était scruté avec minutie par Monsieur Madiki.

Le drapeau arrivé au bout du mât, l'élève l'attachait au poteau et refaisait trois grands pas, cette fois-ci, en arrière sans se retourner jusqu'à se repositionner devant son carré. Aussitôt, la voix de Monsieur Madiki retentissait :

— *Main sur les épaules !* On devrait poser la main droite sur l'épaule de l'écolier placé devant nous. Et lorsqu'il disait :

— *Autant !* À cet instant-là, on devrait écarter légèrement nos jambes. Suivi de

— *Fixe !* On se redressait dans une position verticale, droit sans bouger. Ensuite lorsqu'il disait :

— *Gauche ! Gauche ! Gauche !*

On devrait commencer à bouger le pied gauche, en le tapant sur le sol. Et enfin, il déclarait :

— *Gauche ! Droite, gauche, droite*...

Dès lors, on pouvait maintenant marcher en direction de nos salles de classe respectives…

Le match de foot qui se déroulait pourtant sous mes yeux ne m'intéressait aucunement. Je voyais les gens courir, hurler, mais mon esprit était ailleurs. C'est Jolina qui m'intéressait. Je la regardais s'approcher à ma droite, vers le poteau de l'équipe qui était torse nu. Elle avait mis un cinglé blanc, avec un jean bleu déchiré au niveau des jambes, faisant apparaître le jaune de ses cuisses.

— *Bonsoir !* dit-elle, avec ses deux mains posées sur mes jambes.

J'ai voulu répondre, mais je vis sa tête s'approcher de moi, et ses lèvres mouillées se poser sur les miennes.

— *T'es là y'a longtemps*, enchaîna-t-elle, comme si vraiment rien ne venait de se passer.

— *Pas vraiment !* répondis-je en la dévorant avec un regard qui voulait tout dire…

Jolina, après le baccalauréat, était admise au concours de l'E.N.I, d'où était formé son père. Elle s'épanouissait bien là-bas si bien qu'elle me racontait les journées de classe avec beaucoup d'éclats de rire.

— *Bébé, tu sais non…* sans cesser de rire, *aujourd'hui, notre prof de pédagogie éducative avait mis un pantalon laine blanc qui lui serrait et augmentait la masse de son galbe. Un étudiant fit son entrée et pendant que le prof écrivait le sous-titre, l'étudiant s'est exclamé :*

— *Ah, Monsieur ! Tout ça.*

La classe avait tout de suite deviné qu'il faisait allusion aux fesses du prof et nous nous étions éclatés de rire.

Elle avait presque les larmes aux yeux, lorsqu'elle finit de me raconter la scène.

Ensuite, un silence inattendu s'était installé entre nous, non sans interrompre notre feed-back, puisque nous n'avions pas eu du mal à nous comprendre et à imaginer les pensées de chacun dans sa tête. Cela dit, notre conversation se poursuivit au travers de nos regards d'amoureux, avec quelques attouchements du corps.

Mes rencontres avec Jolina me réconfortaient. Elles étaient tellement intenses et paisibles, même si j'avoue que, par moments, je la suspectais lorsque devant moi, elle répondait à un appel, son aura n'était plus le même… Seulement ma crainte de pouvoir la perdre me rendait zen. J'évitais de poser des questions qui l'embarrasseraient éventuellement, cela fut ma stratégie.

Je suscitais également chez elle, de l'empathie. Mais une empathie que je considère positive. Plusieurs de mes proches camarades de la terminale avaient pu bénéficier d'un coup de pouce de la part de leurs parents. Fabrice, avec qui je me confrontais en s'échangeant des citations de philosophie, avait intégré l'école de la gendarmerie nationale. Ludovic, chez qui nous nous retrouvâmes pour bosser les caractères de la langue chinoise, avait pris son envol pour le pays de *Mao Tsé Tung*. Même le moins efficient de notre groupe au lycée, Boris, avait rejoint sa mère en France et embrassé une carrière de pâtissier. En somme, j'étais très soucieux de ce que devrait être mon avenir. Angoissé de retrouver un jour l'un de mes potes jouissant d'une belle situation de réussite sociale, et me demandant ce que j'étais devenu. Révolté et désemparé en même temps, je disais à Jolina :

— *Je n'avais pas été désigné pour rien, comme journaliste de mon lycée, pour présenter chaque matin le journal « Le Mouétango », devant tous les élèves et les professeurs.*

— *Je n'avais pas été non plus désigné pour rien par le proviseur de mon lycée, pour lire un discours de bienvenue devant l'Ex-Ministre de l'enseignement primaire et secondaire, chargé de l'alphabétisation en 2009, Madame Rosalie Kama Niamayooua, lors de sa visite au lycée de kinkala.*

Silencieuse, la jeune fille m'écoutait attentivement, avant de lâcher :

. — *Je sens beaucoup de rage dans tes propos. Range là comme une synergie et concentre toi sur ton objectif tout ira bien.*

Ce qu'elle ressentait, à cet instant-là, était exactement le sentiment que je désirais susciter chez elle. De l'espoir, en la poussant à croire en moi, en ce que j'étais déterminé à consentir comme efforts afin de réussir. Ainsi je nourrissais avec Jolina, le projet de prendre une inscription dans une école de formation professionnelle tout en continuant à exercer ma fonction de vigile. Elle fut séduite par l'idée et m'affirmait son soutien.

En dehors de ma compagnie avec Jolina, je traînais aussi avec le grand Moukotte, un vendeur de médicaments dits « de la rue ». Auprès de lui, je trouvais aussi du réconfort. L'admiration qu'il ne cessait de me témoigner faisait que je me sentais bien en sa compagnie.

Moukotte, quarante-quatre ans révolus, célibataire, père de six enfants, dont deux ramenés au foyer par son épouse, était licencié en sociologie, sans emploi. Après ses études universitaires, n'étant pas été recruté à la fonction publique, il décide de se lancer dans le commerce des médicaments « de la rue » pour survivre.

Il était comme la plupart des Congolais, fasciné par la Sape et était préoccupé par le rêve de voyager un jour pour la France. Il connaissait les coins et espaces les plus célèbres de la ville de Paris sans y avoir été, et était informé en temps réel des soirées, mariages et gala, organisées par la diaspora africaine.

Un jour, je l'avais trouvé en train de reprocher à son premier fils Dikson qui préparait le Brevet d'Études du Premier Cycle (B.E.P.C), le fait que ce dernier restait à longueur de journée, accroché à son téléphone au lieu de réviser ses cours. C'est de là que nous avions abordé la thématique sur : *l'influence des réseaux sociaux dans nos vies*. Il soutenait que :

— *Les réseaux sociaux et l'internet abrutissaient les enfants et brisaient les rapports humains entre les hommes.*

— *À force d'être accros aux réseaux sociaux,*

poursuivait-il, les gens ont perdu le goût de la lecture, et à force de se familiariser aux réseaux sociaux, les gens ne se rendent plus des visites Oba, c'est triste ! Bon nombre de gens ont pris la mauvaise habitude de ne se voir que lors des funérailles, certainement parce qu'ils savent qu'il y a toujours à boire après l'enterrement, ou encore dans des hôpitaux où, à vrai dire, les gens profitent juste de venir dire adieu au mourant.

Tout cela était vrai, j'essayais néanmoins de le persuader que le monde avait évolué, et qu'il fallait se conformer à cette mutation invraisemblable de la société d'aujourd'hui. Les gens sont de plus en plus préoccupés par leurs problèmes, et leurs intérêts. On s'assiste de moins en moins, chacun pense à son propre bien-être, comme dit le dicton *« Chacun pour soi, Dieu pour tous »*. Mais dans tout ceci, les réseaux sociaux n'étaient pas qu'un mal. Au contraire, la révolution du numérique est un grand bienfait pour l'homme moderne, car grâce à elle, les gens peuvent aujourd'hui communiquer presque gratuitement, et même acheter ou vendre des produits et des services dans le monde.

Pendant que nous poursuivions notre conversation, nous entendîmes venir d'une cave située dans la ruelle d'après, une ambiance, un fou rire, accompagné de cris et de phrases telles que *« l'enfant de Boss, c'est Boss »*. J'avais jeté un coup d'œil, je reconnaissais Trésor assis avec une bande de ses copains sur une table remplie de bouteilles de bière.

Trésor et moi ne nous adressions plus la parole depuis notre dispute. Quand j'avais la mauvaise chance de me trouver au même endroit que lui, il cherchait toujours à me discréditer. Oui, je reconnais qu'il avait toujours des objets chics et à la mode comme les iPhone, tablette et j'en passe, mais je ne lui laissais pas le champ libre pour qu'il touche à quelques millimètres de ma dignité. Ma tête commençait à peser, je rentrai dormir afin d'être physiquement et psychologiquement au point pour la faction du lendemain.

Deuxième partie
« Les méandres du métier de vigile »

Chapitre 1

Février 2011. Il était 6 h 30, et comme d'habitude, la grande épreuve de contrôle des effectifs débuta. Je n'étais plus un simple Oscar. J'avais finalement été fixé dans une villa : « Victor Bravo 6 ».

C'était fini pour moi les aller et retour au pied du manguier, précisément devant l'agence Alpha où se dressait un manguier, et où les intervenants ne cessaient de nous « niké » en brandissant fièrement les talkies-walkies qu'ils accrochaient sur leurs épaules écoutant chaque mot et signalement de « Québec Romeo », le régulateur.

À l'instar de « Sierra bravo 4 », « Victor Bravo 6 » était un site sûr. Très sûr même, car situé en plein cœur du centre-ville, sur l'avenue Amilcar Cabral, juste après le supermarché Casino, et avant d'arriver au mémorial Pierre Savorgnan de Brazza. Il était difficile d'y trouver des bandits. Et pourtant, « Victor Bravo 6 » était l'un des sites les plus redoutés par les A.P.S. À mon avis, ce qui faisait que cette villa, à l'apparence plutôt tranquille et si paisible, soit le cauchemar des A.P.S, c'était ses deux résidents français : Monsieur Alain Merlot et sa femme madame Françoise Merlot.

Ma grande passion pour la littérature française et ses auteurs, faisait que lorsque j'étais en face de ces deux expatriés, je leur témoignais tout de suite, et de façon naturelle, mon enthousiasme et ma sympathie. Monsieur et Madame Merlot n'étaient pas faciles à apprivoiser, la preuve, dans leur villa, le couple remplaçait fréquemment ses employés, souvent sans motif. Le cuisinier n'était pas, par exemple, autorisé de déguster un aliment pendant qu'il faisait la cuisine, ou encore boire leur eau minérale.

Le jour que j'y avais été déposé par « Québec India », avant de m'écorcer avec Madame Françoise, j'avais pu voir la terreur dans les yeux de l'A.P.S descendant. Il venait d'y passer une faction de nuit, et franchement je ne crois pas qu'il avait pu fermer l'œil.

Chez nous au Congo, on n'appelle pas seulement une femme par « Madame » parce qu'elle était mariée officiellement ou religieusement. Cette appellation est aussi attribuée à toutes celles qui affichent une certaine réussite sociale. Qu'importe la situation matrimoniale de cette dernière, lorsqu'une femme avait de l'argent, une position ou une situation, l'appellation de « Madame » s'impose automatiquement. Et donc fort de cette habitude devenue presque une culture, nous appelons ces femmes-là « des dame ».

Lors de mon premier contact avec Madame Françoise Merlot, elle était surprise de me voir. Elle déclara :

— *Euh... Votre visage ne me dit rien !*

— *C'est vrai, Madame, j'ai été déposé pour prendre le planning de l'agent qui est allé en fin de contrat,* lui avais-je répondu.

— *Et pourquoi vous n'êtes pas habillé comme les autres ?* rétorqua-t-elle.

— *J'ai ma tenue Madame, elle se trouve dans mon sac, l*ui dis-je.

*Eh bien, mettez là ! Puis rendez-vous utile, au lieu de déambuler comme un touriste, t*empêta-t-elle avec des yeux grandement ouverts. Si je n'étais pas là, pour les raisons de mon service, je pense qu'elle m'aurait mis à la porte immédiatement.

— *Entendu, Madame !* lui disais-je, avec les doigts croisés tout au long de mon bassin, un peu comme les employés de service des grands hôtels. La posture était ringarde certes, mais je savais que pour une première prise de contact, le client pouvait déjà se faire une opinion sur l'agent. J'adoptais ainsi l'attitude que j'avais vis-à-vis de mes professeurs, dans ma nouvelle profession.

Pour la petite histoire, Monsieur Merlot était un homme brillant, jouissant d'une solide expérience professionnelle dans le domaine bancaire à l'international. Après avoir rejoint la Banque populaire, Caisse d'Épargne (B.P.C.E.) en 1999, il gravit vite des échelons et va présider le comité d'audit de la Banque Malgache d'Océan Indien (B.M.O.I). Réputé pour son dynamisme, il effectue des missions au Niger, au Burundi, en Polynésie française, au Cameroun, avant d'être nommé en 2007, directeur général de la Banque Commerciale Internationale (B.C.I), filiale du groupe français B.P.C.E. S'il faut lui faire un portrait en le comparant aux écrivains, je dirais qu'il avait la tête, la chevelure, et la coiffure du journaliste et polémiste Olivar Asselin, plus le regard bienveillant de Blaise Pascal.

Sur Madame Françoise, je ne savais pas grand-chose, j'avais effectué des recherches sur internet, mais je n'avais pas trouvé grand-chose, seulement une photo de profil Facebook publiée, sur laquelle, elle était en maillot de bain, flottant sur une piscine.

Le soir tomba, pendant que je bouclais ma faction de jour en appliquant la méthode « S.I.R.A.G.E » :

— Le « S » signifie « surveillance » du site. Sur cette rubrique, il fallait indiquer d'éventuels constats de la journée. Ce pouvait être un évènement impromptu, ou un dysfonctionnement. En ce qui me concerne, je mis la mention « rien à signaler » : R.A.S.

— Le « I » signifie « Inventaire » du matériel ; là, il était question de vérifier et compter le matériel visible et disponible dans le site.

— Le « R » fait allusion au nombre de rondes effectuées durant la faction.

— Le « A » veut dire « Appareil » utilisé, à savoir : le Talkie-walkie.

— Enfin le « G.E » signifie « Groupe électrogène ». Il s'agissait de dire si tout au long de la journée le groupe a tourné ou non.

Après mon « S.I.R.A.G.E », je recevais un appel de « Québec Roméo ».

— *« Victor Bravo 6 » ici Québec Roméo reçu parlez ? ».* Je pris le Talkie-walkie, puis je répondis.

— *« Québec Roméo 2 » ici « Victor Bravo 6 » reçu parlez ! ».*

— *« Victor Bravo 6 ». Vos effectifs ?*

— *« Nous sommes à moins un, je suis en attente de la relève, reçu parlez ! ».*

— *« C'est consommé ! Vous êtes en non-stop reçu parlez ! ».*

— *« Reçu ! Parlez ».*

— *« Québec Sierra » passera incessamment pour la consigne reçue, parlez ! »,*

— *« Bien reçu, parlez ! »,*

— *Bon courage, ici « Quebec Roméo » Reçu Terminé.*

La consigne n'était autre que la somme de

1500 Franc CFA, qui équivalait à une cuisse de poulet grillée, du manioc et de quoi payer le bus le lendemain matin. On n'avait pas le choix, ni le droit de dire « Non ». D'ailleurs, sur le contrat qu'on nous avait fait signer, il y avait une mention qui disait clairement *« En cas de déficit de personnel, ou de relève non effective, l'agent de sécurité devrait être capable et disposé à continuer le service ».* Ou une autre qui stipulait que : *« L'agent pouvait être à tout moment muté d'un site à un autre, sur l'ensemble de l'agglomération. ».* Malheureusement, la bonne discipline qui nous était inculquée ne pouvait rien face à la fatigue qui commençait à prendre le contrôle de mon cerveau. Courir pour ouvrir et fermer le portail, rester en éveil pour répondre au module, maintenir la concentration, même lorsque que tout semble calme, ou encore les rondes de pointage du Vigie-ronde, cet appareil électronique en forme de bâton, qu'on devrait pointer toutes les trente minutes sur les 16 points de la villa.

Tout ceci avait des conséquences sur la santé physique et mentale des agents. C'est ce qu'on appelait *« Le masque de vieillesse ».* Une expression pour qualifier les gens qui, étant jeunes, manifestaient des tares sur le plan mental, avec des visages osseux, des corps amaigris, et des yeux rougis dus aux nombreuses veillées nocturnes effectuées.

Je n'étais pas épargné de ce syndrome. Dans la rue,

je ne pouvais pas ne pas remarquer les regards que certains inconnus me lançaient. D'aucuns me disaient *« Oba, étais-tu malade ? »*. Quant aux moqueurs, ils n'hésitaient tout simplement pas de me toiser pour me dire, avec éclat de ricanement : *« Mais Oba, tu ressembles maintenant trop à Fantômas, on pourrait dire que vous êtes des frères jumeaux »*.

Vu de l'extérieur, le travail de vigile est un beau métier qui peut susciter de la convoitise. Mais en l'exerçant, on se rend vite compte que ce travail est un calvaire. Sur les places publiques, les vigiles tentent tant bien que mal d'afficher leur générosité, à travers le sourire et le coup de main qu'ils sont toujours disposés à donner aux passants qui sont quelquefois aigris, et mal polis.

Dans leurs jolies tenues de travail, ils cachent imperturbablement leur famine, et beaucoup de problèmes familiaux non résolus : du logeur qui menace de le sortir, au manger, en passant par l'école des enfants, et les ordonnances de maman, papa, la grand-mère, le grand-père ou l'oncle.

Mon expérience m'avait montré qu'après douze heures de service, enfermé dans la villa à ne rien faire, sauf ouvrir et refermer le portail, voir défiler la montre seconde après seconde, on devenait inefficace voire automate. La seule chose qui restait à faire était d'ouvrir ma mémoire pour me remémorer des souvenirs, ce qui avait fini par m'emporter inlassablement.

— Piiiiiimmmm ! C'était le coup de « Klaxon » de la Toyota Land Cruiser 200 VX-R de Monsieur Alain Merlot. Je sursautais de mon fauteuil et dans cet imbroglio, j'avais tellement paniqué que j'avais même oublié la direction du portail. Je fonçais vers la droite, avant de me rendre compte que le portail se trouvait à ma gauche. Mine de rien, j'avais réussi à présenter au couple français, une petite scène de théâtre à l'allure de *« Jamel Comedy Club »*.

La VX-R roula tout doucement avant de s'immobiliser devant la guérite où j'étais debout tenant l'aile gauche du portail. Je vis la vitre du côté chauffeur descendre, et je me retrouvais face à face avec Monsieur Merlot. Consterné, je lui lançais un regard rempli d'émoi et de culpabilité. Il me regarda sans prononcer un seul mot, avant de remonter la vitre. Le moteur diesel ronfla puis le véhicule sortait de la villa.

Soudain ! J'ai commencé à sentir comme si ma tête se refroidissait de l'intérieur. La peur d'être expulsé voire licencié, envahit mon corps, mon âme et mon esprit. Au bout de quelques minutes, alors que j'émargeais la sortie du résident de la villa, dans la main courante, l'hilux de l'équipe d'intervention débarqua, et les « Québec India » étaient furieux.

L'un fit le tour de la villa, pendant que l'autre sortait de son sac un carnet pour me monter une fiche.

J'écopais donc ma première sanction un *« blâme »* pour selon eux, un *« sommeil organisé »*. Je tentai de me justifier, en leur expliquant que c'est parce que je venais de doubler le service. L'intervenant me rétorqua : « Ta gueule, tu n'as pas la parole ». Les agents d'intervention étaient durs et secs, c'est pour cela qu'ils étaient payés. Lorsqu'ils se présentaient à nous, nous nous devons de *« garder le silence, sinon tout devait se retourner contre nous »*. Et quand ils nous parlaient, nous avons l'obligation de répondre à chaque fois par *« Oui chef ! »* ou *« Non, chef ! »*. Un *« Oui »* simple, ou un *« Non »* simple, était considéré comme un manque de respect à leur égard.

Chapitre 2

La vie suivit normalement son cours, jusqu'à ce qu'un évènement inattendu vienne bouleverser le cours des choses. C'était le discours à la Nation du Président de la République, prononcé le 12 août 2015.

Dans son allocution, le chef de l'État Dénis Sassou NGUESSO affirmait *« (...) Pour ce qui concerne la répartition du revenu national, l'État congolais, comme beaucoup d'autres à travers le monde, a mis en place un salaire minimum interprofessionnel garanti et incite les employeurs et les employés à négocier directement des conventions collectives ou les aides, le cas échéant, à y parvenir. Ce faisant, l'État veille toujours à ce que le produit du travail des uns et capitaux investis des autres soit équitablement réparti dans le cadre des conventions collectives, qui contiennent en leur sein la grille salariale. En 2009, l'État a fait porter le S.M.I.G de 40 370 francs CFA à 50 400 francs CFA. À son propre niveau, l'État a fait progresser le salaire de base minimum de ses agents de 29 580 francs CFA en 1996 à 100 750 francs CFA en 2015, soit une augmentation de plus de 200 % en vingt ans. En 2016, conformément aux accords conclus entre les partenaires sociaux et l'État, le salaire minimum d'un agent de l'État sera de 110 825 francs CFA. En y ajoutant la prime générale de transport de 10.000 francs CFA par agent, le fonctionnaire le moins bien payé percevra en 2016, un salaire mensuel de base de 120 825 francs CFA »*[4].

Ce discours avait suscité un grand *« ouf de soulagement »* chez la plupart des agents de la fonction publique, mais mal perçu par les agents de sécurité. Autrement dit, cette ordonnance du président ne nous concernait pas directement, car les agents de sécurité, n'étant pas des fonctionnaires de l'État, ne pouvaient en aucun cas jouir de cette nouvelle mesure. Sauf dans le cadre d'une négociation des textes avec l'employeur. Malheureusement, le secteur de la sécurité au Congo n'était régi ni par une convention collective ni par un accord collectif d'établissement.

Les vigiles n'avaient pas d'assurance maladie, non plus de sécurité sociale. Bien que le prélèvement de la Caisse Nationale de Sécurité Sociale (C.N.S.S) figurait bien sur les bulletins de paie, mais celui-ci

---

[4] SASSOU NGUESSO, Dénis. – *discours à la Nation du Président de la République, prononcé le 12 août 2015.*

n'était jamais reversé par l'employeur à cette institution.

Le manque de cadre juridique offrait un pouvoir absolu aux employeurs, qui foulaient carrément au pied les droits des A.P.S. Le vigile n'avait ainsi droit qu'à son solde de fin du mois.

Huit mois après, la nouvelle mesure étant déjà entrée en vigueur chez les fonctionnaires, du côté des vigiles, la grogne commençait à monter. Certains agents téméraires avaient entrepris une démarche, celle d'inciter les autres à pouvoir aller manifester devant le siège de la SCAB, afin de revendiquer les mêmes mesures sociales.

C'est ainsi que le 31 avril 2016, juste avant la fête du 1er mai, nous y étions rassemblés pour exprimer notre ras-le-bol. Pour crédibiliser le mouvement aux yeux des autorités publiques, notre « doyen », le retraité de la fonction publique nous avait fait signer une pétition. C'est lui qui était le cerveau de l'émeute, il planifiait et coordonnait notre action vis-à-vis de l'employeur. Celui qui s'était effondré le jour du test physique sous l'effet de la fatigue était devenu aux yeux des A.P.S, un fin stratège.

Des valeurs que m'avait transmises ma défunte grand-mère, je n'avais pas appris comment être ingrat. Quand une personne me faisait du bien, je savais la remercier, et garder une bonne pensée de cette dernière. Mon intuition me disait que cette démarche n'était pas la bonne, mais dans ce contexte-là, je n'avais pas le choix, car je ne voulais pas être considéré comme une taupe, et déranger le groupe.

Un mégaphone à la main, le « doyen » essayait de persuader la foule en déclarant :

— *« Ne cassez rien »* et *« Ne tenez pas de propos racistes ni tribalistes à l'encontre des dirigeants, il faut que notre mouvement puisse préserver son caractère pacifiste... ».*

Pendant que nous l'écoutions attentivement, le personnel de la direction commençait à arriver. Ils affichaient tous une certaine réussite sociale à travers leurs gros téléphones derniers cris, et leurs tenues vestimentaires à la mode. Ces agents, visiblement bien traités, n'arrivaient pas à immerger dans leurs yeux, le mépris qu'ils éprouvaient pour nous. Et pourtant, c'était nous qui apportions de la valeur ajoutée à la société, c'était grâce à nous qu'ils avaient chaque quinzième jour du mois, leur quinzaine, et à la fin du mois leurs gros salaires.

La Suzuki blanche du R.T.O immatriculée G.N, comme une abréviation de son nom et prénom, venait de faire son entrée dans la cour de « L'Agence Alpha ». Environ vingt à trente minutes après, le Responsable de ressources humaines et Monsieur Georges Niéto sortirent pour s'adresser à la foule.

— *Nous sortons d'une réunion au cours de laquelle nous avons examiné et pris connaissance de vos revendications. Par cette occasion, nous tenons à vous réitérer notre volonté à y apporter dans un meilleur délai de solutions constructives. Mais en attendant, nous vous demandons de regagner vos sites respectifs... »*

— Non ! Ça ne se passera pas comme ça, hurla les plus agités coupant ainsi la parole au Responsable des ressources humaines.

Dans mon for intérieur, je n'avais pas trouvé cette annonce mauvaise. Je m'étonnais quand même de nous voir aussi incisifs et épidermiques.

D'un ton autoritaire, le R.R.H reprit la parole avec cette parade :

— « Comme vous le savez tous, il n'y a pas d'emplois au Congo, nous nous efforçons de vous donner le peu que nous pouvons. Alors soit vous vous en contentez, soit vous libérer le plancher ».

C'était son mot de la fin. À l'instant, la délégation se retourna, et s'orienta vers « l'agence Alpha ». À défaut de considérer ces propos comme un diktat, je pris cependant un temps pour méditer la phrase : *« (...) soit vous libérer le plancher ».* Dans ma tête, je concluais que cette démarche ne nous mènerait nulle part.

Au bout de quelques heures, le climat de la foule était passée de l'étape de l'agitation à celui de la désinvolture et de l'irritation. Dès lors, le vieux démon de la révolution gagnait les esprits. Les gens hurlaient, et frappaient le portail en dénonçant une attitude grossière et dictatoriale d'une part, et le néo-colonialiste de l'autre part. Craignant pour sa sécurité ainsi que pour celle de ses cadres, G.N s'était sans doute senti coincé dans le bâtiment qui était envahi par la foule enragée, et avait finalement appelé les forces de l'ordre.

Depuis le début, je m'étais contenté à observer la scène en spectateur, mais au bout d'un moment, je commençais à me sentir oisif, et gêné de ne rien faire. Sous cette pression intérieure qui m'envahissait, j'avais fini par rentrer dans la danse en scandant quelques phrases telles que *« Ce n'est pas normal »* ou encore *« C'est de la servitude tout ça »*. Car qu'on le veuille ou pas j'étais tout de même, dans le même bateau que les autres.

Subitement, nous vîmes surgir quatre Hillux d'une brigade réputée de la police nationale. Zut ! C'était la débandade et la débâcle totale. Ils s'étaient mis à disperser la foule à coups de matraque, sans se soucier des parties vitales de leurs cibles.

Dans ce tourbillon-là, je ne savais que faire, je sentais juste mon cœur qui battait vite, et mes jambes qui tremblotaient. On courrait sans savoir exactement où aller, car décidément, les policiers nous avaient encerclés. On se bousculait même entre A.P.S. Les hurlements étaient devenus des gémissements. Quand on se mettait à courir derrière un collègue, et que ce dernier se retrouvait soudain face à un policier, et se retournait brusquement, cela provoquait un choc terrible.

Dans cet imbroglio, une idée traversa mon esprit ; courir en direction de « l'Agence Bravo », et si possible me cacher sous les deux véhicules blindés de transport de fonds. Mais vous savez dans ces moments-là, on ne sait plus vraiment quelle est la bonne ou la mauvaise idée. J'avais pu traverser au moins soixante à soixante-dix pour cent de l'avenue. J'étais arrivé carrément au portail de ladite agence. Là, je recevais dans mon postérieur, précisément au niveau de la nuque et l'épaule gauche, un coup de matraque qui m'avait électrocuté le corps, avant de littéralement perdre connaissance.

Chapitre 3

Je plongeai dans un sommeil profond dans lequel je fis un rêve étrange.

Je marchais en compagnie de Jolina dans une forêt tout près d'une rivière. Les feuilles mortes que les grands arbres faisaient tomber sous le coup de la tornade, formaient sur le sol une couche épaisse sur laquelle nos pieds se trempaient de boue, nous chatouillaient les orteils, et nous donnaient la sensation d'être dans ces séries d'aventures sur Canal plus, où l'on demande aux acteurs de survivre dans la forêt les corps nus, et sans avoir de quoi manger. Brusquement, Jolina glissa et fut prise par un tourbillon d'eau qui l'engloutissait. Je lui tendis ma main plusieurs fois, mais à chaque fois que j'essayais d'attraper la sienne, celle-ci était devenue incorporelle. Je ne touchais que le vide. Juste au moment où je m'apprêtais à plonger, je ressentis un tapotement de gifle sur ma joue gauche.

— *Oba ! Oba !* J'ouvris les yeux, en criant avec

une respiration accélérée, et j'apercevais une jeune demoiselle vêtue d'une blouse blanche. Je compris alors que j'étais dans un hôpital.

— *Comment vous sentez vous ?* me demanda l'infirmière.

Je la regardais évasivement sans me souvenir de quelque chose. Elle avait alors mis son pouce sur ma paupière droite, puis me regarda droit dans l'œil. Et peu à peu, mes idées commençaient à devenir claires. Après une série de questions du genre :

— *Prenez-vous de l'alcool ?* J'avais répondu en secouant la tête deux fois de la gauche vers la droite.

— *Êtes-vous diabétique ? Asthmatique ?* Non, dis-je. À côté de l'infirmière se tenait un homme vêtu d'une blouse blanche aussi, tenant un plateau sur lequel il y'avait un flacon transparent contenant un liquide blanc, un autre de couleur jaune, un Ciseau et une compresse.

— *Vous avez eu une lésion au niveau de la nuque. Ça aurait pu être grave, mais ça va aller, vous avez eu de la chance. Je vais vous mettre sous anesthésie afin de suturer la plaie. N'ayez pas peur, tout va bien se passer,* déclarait-il avec un petit sourire aux lèvres.

Finalement après s'être occupé de ma plaie, le chirurgien m'avait demandé de me reposer pendant un moment, et m'avait installé dans une salle au premier niveau du Centre Hospitalier Universitaire (C.H.U) de Brazzaville, où je reconnus plusieurs autres collègues A.P.S. D'aucuns avaient des yeux ou des crânes bondés, d'autres avaient des bras ou des jambes plâtrés. Et malgré notre témérité à pouvoir lutter contre l'employeur, la SCAB-CONGO prit quand même la charge de nos soins médicaux.

Ce jour-là, après la visite du Responsable des ressources humaines nous recevions la visite de Monsieur Fidèle, le « doyen ». C'est comme ça que nous l'appelions tous. Il était gentil avec tout le monde, et au-delà de sa sociabilité, les A.P.S lui témoignaient beaucoup de respect vu son âge. Il se mit à nous relater comment s'était poursuivi la manifestation bien qu'interrompu par l'intervention de la brigade anti criminelle de la police.

— *Les amis ! Nous sommes sur la bonne voie. Au moment où je vous parle, les sites accusent un déficit d'A.P.S d'ordre de quarante à cinquante pour cent de l'effectif global que compte la boîte. Nous avions certes subi des coups de matraque, mais les coups que la SCAB encaissera se chiffreront à coup de millions de Franc CFA. Calmez-vous, vous verrez !* poursuivait-il.

Il avait raison, car le lendemain le journal « Les dépêches de Brazzaville » relayait à la première page : *« Le torchon brûle à la SCAB-CONGO »*. Sous le titre, on pouvait voir l'image des A.P.S regroupés devant le siège, y compris les « bosses » du portail causées par des jets de pierres.

Le journal écrivait que :

— *Des vigiles de la Société de sécurité privée et de gardienne de la SCAB-CONGO, se sont rassemblés ce 31 Avril 2016, devant le siège de ladite société pour revendiquer une augmentation de salaire, ainsi qu'une meilleure sécurité sociale, ont été violemment dispersés par une brigade de la police nationale. L'un d'eux que nous avions pu interroger, nous a fait savoir que « Nous attendons de la part de notre employeur, un traitement à la hauteur de ce que nous donnons en termes d'effort de travail. Car nous n'avons pas de prime de risques, pas d'assurance maladie, et malgré la retenue C.N.S.S qui apparaît sur nos bulletins de paie, et débitée chaque mois sur nos salaires, nous ne sommes toujours pas enregistrés dans la base de données de la Caisse Nationale de Sécurité Sociale ».*

En effet, ce fut une bonne nouvelle que les médias s'emparent de l'affaire, même s'ils en avaient rajouté un peu de sel et de piment, en accusant la boîte « d'exploiter les A.P.S ». Mais comme la situation jouait plutôt en notre faveur, il n'y avait donc pas de quoi se plaindre. Ainsi, la Société SCAB-CONGO, devrait dorénavant non seulement faire face à des salariés en colère, mais aussi à une campagne médiatique qui pouvait durement affecter et entacher, d'abord sa propre réputation, ensuite celle de son P.D.G.

Par ailleurs, le médecin m'avait accordé un repos médical de dix (10) jours ouvrés, mentionné sur le certificat médical que j'avais pris le soin de déposer au service de gestion du personnel de la SCAB-CONGO.

Après avoir été foudroyé d'engueulades par mon tuteur et son épouse sur les récents évènements, je racontais à cette dernière le rêve étrange que j'avais fait quand j'avais perdu connaissance. Elle m'avait répondu que ce n'était pas bon signe, soit il devrait arriver un malheur à Jolina, soit ma relation avec la jeune fille, n'avait, tout simplement pas d'issue.

Troisième partie
« La quête d'identité »

Chapitre 1

Décembre ! Un mois vertigineux pour les travailleurs à cause des lourdes dépenses à effectuer. D'une part les jouets et le vestimentaire des enfants, cousins ou neveux, et d'autre part la femme et les parents. Il est une coutume de penser aussi aux parents pendant cette période de fin d'année, car c'est une manière de leur témoigner son affection.

Les fêtes du Nouvel An s'approchaient, et pour sa part, Jolina me demanda de lui acheter les « Brésiliennes ». Une boule coûtait environ soixante-quinze mille francs CFA, et il lui en fallait quatre. Je fus incapable de satisfaire à sa demande. Déçu, elle était allée vers un plus offrant, sans doute Trésor.

Le 24 décembre 2016 vers 13 heures, alors que je profitais de mon repos en observant les passants dans leurs beaux vêtements, tout « new », je voyais venir Jolina le visage empourpré. Ça faisait déjà plusieurs semaines qu'on ne s'était pas vus ni appelés. Je voulus la dévorer des yeux. Elle avait des cheveux qui arrivaient au niveau de ses hanches, sa démarche était devenue plus sûre et plus dandinante. Elle serrait également les deux lèvres de sa bouche, puis les montait vers ses narines en faisait un zigzag avec les doigts de sa main droite, qu'elle tapotait ensuite sur sa jambe droite. C'était comme si elle était sur un nuage.

Elle s'approchait à une dizaine de mètres, et depuis notre portail où j'étais assis et adossé sur le mur de clôture, je lui lançai un regard avec un air qui voulait dire : « Comme je suis content de te revoir ». Mais en retour, je reçus un regard dans lequel il y avait à la fois le mépris et le dégoût. Je rabaissais mes yeux, et mon visage, je n'avais pas pu ce jour-là résister à la froideur de son regard, je fis explosé de chagrin.

Arrivée à un mètre, je m'attendis à ce qu'elle s'arrête pour me saluer ; mais non, elle me passa avec une vitesse qui ne me laissait que le vent qui me fit sentir l'odeur de son parfum. J'avais esquissé un sourire jaune, mais au-dedans de moi je saignais.

Mais comme l'affirmait l'écrivain et médecin britannique Arthur Conan Doyle, « Le travail était le meilleur remède contre la tristesse (…) »[5], je m'étais alors investi à fond dans mon travail, et j'avais acquis une bonne maîtrise de ma fonction de vigile.

---

[5] CONAN DOYLE, Arthur. – Le travail était le meilleur remède contre la tristesse (…)

Que ce soit dans les établissements commerciaux, les banques ou les villas, je ne ménageais aucun effort pour recevoir un client ou un visiteur, le renseigner, lui autoriser ou lui interdire un accès. Dans les situations où je ne me faisais pas comprendre par mon interlocuteur, je lui disais « Monsieur ou Madame, je ne fais que faire exécuter les consignes qui m'ont été données ».

Cette phrase parvenait quand même à susciter un peu d'humanisme chez les uns, qui se ressaisissaient par la suite. Et pour les plus téméraires, elle ne servait qu'à rajouter de l'huile au feu, comme ce bras de fer que j'avais eu une fois dans un supermarché avec une adolescente, que j'avais surprise en flagrant délit, en train de glisser dans l'antre de ses jambes un désodorisant et un gel de main.

Ce qui attira mon attention ce jour-là, alors que j'étais debout dans le supermarché, prêt de la porte, c'était le fait que la jeune fille était très agitée. Elle avait l'air de surveiller d'autres clients, qui lorsqu'ils s'approchaient d'elle, elle faisait comme si elle était tout simplement en train de contempler les articles du rayon. Et lorsque s'apprêtant à sortir du supermarché, je la pris par le bras, et lui dis : « Excusez-moi mademoiselle, vous n'avez pas payé les deux flacons ! ».

C'était grave, elle commença à se déchaîner, à hurler que « Je n'étais qu'un pauvre type, que je l'accusai de vol », si bien que j'étais obligé de la saisir avec mes deux bras. Pour trancher l'affaire, l'une des caissières était venue, et proposa d'aller avec elle dans les toilettes afin de la fouiller. Au départ, la jeune fille tenta de résister, mais après elle comprenait que résister ne faisait que renforcer le soupçon qu'on lui prêtait, et avait au finish accepté de suivre la caissière dans les toilettes…

Fait marrant et bouleversant, dans les toilettes, les deux femmes avaient pu trouver un compromis. La jeune fille devrait rendre les produits dissimulés, à condition que la caissière fasse croire à tout le monde que cette dernière n'avait rien sur elle. C'est ce qui fut fait. Seulement, après avoir libéré la jeune fille du supermarché, la caissière avait finalement lâché le morceau.

Ou encore cette autre fois que j'avais été déposé en renfort à la station Total E.P Congo de « Dix maisons » sur l'avenue Loutassi, au quartier Plateau des quinze (15) ans. Je fus d'abord effrayé par la longue file d'attente des véhicules de tout type, et motocyclistes, avant d'être stupéfait par un trafic illicite entre le pompiste et les clients. En fait, au lieu de libérer progressivement les véhicules, car ceux-ci causaient un embouteillage terrible, non ! Ce dernier avait la sale habitude de servir des usagers qui se trouvaient encore très loin par rapport à l'ordre établi moyennant un pourboire.

Je lui avais fait la remarque une première fois, et comme rien ne s'améliorait, j'avais décidé d'alerter au module « Québec Tango », l'opérateur de la Télésurveillance, celui-ci avait appelé un client et en moins de dix minutes le pompiste en question fut relevé sans comprendre ce qui lui était arrivé. Le métier d'agent de sécurité m'avait, non seulement, ouvert les yeux, et appris à avoir le contrôle des situations critiques, mais avait aussi développé chez moi, une certaine fermeté dans la prise de décisions.

Quant à la crise sociale, qui avait emmené les agents à revendiquer de meilleures conditions de travail ainsi que de meilleurs salaires, elle avait abouti tout simplement à un *« Fiasco »*. La mauvaise organisation et le manque de connaissance des textes avaient conduit le mouvement droit à l'échec. Les « Québec Siérra » soutenus par la police avaient non seulement réussi à instaurer l'ordre, mais ceux-ci, avaient aussi assuré le nettoyage de ceux qu'ils qualifiaient de *« Fauteurs de trouble »*.

Toute la génération des vieux dont l'âge variait entre quarante et soixante ans fut remerciée, y compris le « doyen ». On lui reprocha d'être un incitateur au trouble et à la violence. La SCAB-CONGO procéda à une purge et adopta comme nouvelle stratégie de ne recruter que des jeunes dont les âges variaient entre vingt-deux et trente-cinq ans, moins revendicateurs, et faciles à manipuler.

Je continuai ma lutte avec détermination. Dans la villa des Merlots, je m'étais démarqué des autres collègues par ma serviabilité, et mon amour pour le travail bien fait. Tous les jours, je commençai mes factions par soit laver la VX-R de Monsieur Alain, soit donner un coup de balai dans la grande cour ou encore, arroser les fleurs du jardin. Je le faisais fréquemment, et à force d'observer le couple, j'avais fini par identifier les choses auxquelles ils étaient très attachés. Pour Madame Françoise, c'était son chat et puis les fleurs. Tandis que pour Monsieur Alain Merlot c'était sa VX-R, et son bateau.

Tout en sachant qu'ils nous espionnaient de temps à autre du haut de la baie vitrée de la fenêtre de leur chambre à l'étage, j'avais pris plaisir à me montrer plus affectueux avec les fleurs. Lorsque je faisais mes rondes, je m'arrêtais, par exemple, devant une fleur, je la touchais sensuellement, comme on peut toucher un enfant malade. Je la regardais intensément avant de prendre l'arrosoir et l'arroser. Je le faisais à dessein, car je savais que j'étais observé. Par contre eux, ne se rendaient pas compte que je les voyais du coin de mon œil. C'est comme ça que j'avais pu gagner leur sympathie.

Un jour, Madame Françoise se promenait dans le jardin, et fut surprise de voir comment les fleurs avaient regermé. Je la regardais de loin elle rayonnait de bonheur. Quant à Monsieur Alain j'avais constaté qu'il était tout aussi satisfait de ma prestation, le jour où il était arrivé au portail, toujours au volant de sa VX-R, il baissa la vitre, me regarda avec un sourire aux lèvres, en remuant la tête du haut vers le bas.

Chapitre 2

Un jour, pendant que je faisais ma ronde aux alentours de la piscine, j'entendis un cri de détresse.

— *Monsieur l'agent !*

J'avais tout de suite reconnu la petite voix de Madame Françoise. Je m'étais alors précipité vers la porte d'entrée, et là je rencontrais une fumée épaisse dans le couloir.

— *Au secours ! Aidez-moi !* Madame Françoise continuait à gémir et à crier. Je fonçais alors dans la fumée en touchant les deux murs tout en sachant que la première porte à droite c'était la cuisine, et la première à gauche, c'était les toilettes pour les visiteurs. Le couloir aboutissait au salon, où il y avait à droite, les escaliers et la salle à manger avec une table en verre, et à gauche le grand salon où était assise la dame.

Malgré la chaleur qui me brûlait la peau, et la fumée qui m'aveuglait j'étais quand même parvenu à accéder dans la cuisine où je trouvais une casserole calcinée sur la cuisinière. Le feu avait pris sa source là, avant de brûler les rideaux et de commencer à attaquer le plafond. Je prenais ainsi l'extincteur qui était accroché sur le mur, je le posai sous mes deux jambes, et après avoir retiré la goupille, j'appuyais à fond sur le levier de commande, avant d'orienter le diffuseur sur la base des flammes qui se situait entre la boîte à rideaux et le plafond. Au bout d'un instant, le feu était maîtrisé. J'avais pris un torchon et j'arrêtais la vanne de la bouteille de gaz. Ensuite, j'ai ouvert les fenêtres pour laisser s'échapper la fumée. Madame Françoise qui se tenait timidement derrière la porte déclara :

— *J'étais en train de faire du steak, mon téléphone a sonné dans le salon, je suis donc allée pour répondre à l'appel, mais la conversation que j'ai eue avec mon interlocuteur a pris une autre tournure et m'a fait oublier que je cuisinais. N'eût été la fumée qui se répandait dans le salon, je ne m'en serais jamais rendu compte. Merci, Monsieur l'agent.*

— *Je vous en prie, Madame,*

lui avais-je répondu, avant de croiser ses yeux bleus. Une semaine après couple avait pris des vacances pour se changer des idées. Et juste après leur départ en France, je recevais une lettre (d'information) venant du service des Ressources Humaines de la SCAB-CONGO.

Chapitre 3

« Monsieur, à réception de cette lettre vous voudriez bien noter que le chef d'agence de la Société SCAB-CONGO vous informe que vous êtes convié à une séance de travail qu'elle organise le vendredi 19 août 2016 à 16 heures. Votre présence est obligatoire. ».

Le jour « J » je m'y étais rendu, vêtu d'une chemise manche courte de couleur grise que Jolina m'avait offerte lorsque j'avais eu mes vingt (20) ans. Un pantalon jean noir, et une paire de classiques de couleur noire, que j'avais achetée au marché Total.

Devant le portail de « l'agence Alpha », je trouvai deux vigiles en faction qui me lançaient des regards admiratifs. J'étais conscient que j'avais accompli quelque chose d'honorable et de louable. Cela accentua mon assurance, ce qui faisait que mes pas étaient devenus plus calmes, plus ordonnés, au fond de moi, j'explosai d'estime de soi. Et de l'autre côté de « l'agence Bravo », deux « Québec India » parlaient, l'un d'eux me pointait son index comme pour dire à l'autre *« Tiens, le voilà là-bas »*. En revanche, je levai mon bras droit et leur montrai ma paume de main en signe du *« bonjour »*. Salutation qu'ils acquiescèrent avec enthousiasme.

Dans la salle de réception, j'étais arrivé avec quinze minutes d'avance. Après un court moment d'attente, j'étais escorté dans la salle de réunion, par l'une des secrétaires, où Monsieur Georges Niéto, le Responsable des ressources humaines et le P.D.G m'accueillirent chaleureusement.

— *Bonjour, Monsieur Oba. Nous sommes ravis de vous recevoir. Asseyez-vous, je vous prie*, disait le Patron, avant de me tendre une enveloppe blanche.

J'ouvris l'enveloppe, et au moment de déplier la lettre, mes yeux furent agréablement frappés par la couleur bleue de son en-tête, précisément au côté droit, c'était bien sûr le logo du drapeau de l'Union Européenne qui frappa mes yeux. Ému et surpris, j'avais relevé ma tête, puis j'avais lancé un regard rempli de doute voire d'inquiétude, comme pour leur dire :

— *« Quoi ! Vous ne vous serez pas trompé par hasard ? »*.

Mais j'avais, à ce moment-là, croisé leurs sourires qui disaient tout, avant qu'ils ne m'applaudissent et me formulent des *« Félicitations »*.

Je ne comprenais toujours rien. Je me suis mis alors à lire le contenu de la lettre qui stipulait :

« Suite à votre conduite, et au regard de bons et loyaux services rendus à la société, la direction de la Société de gardiennage la SCAB-CONGO, au capital de cent millions de francs CFA, a le plaisir de vous informer qu'à compter de ce jour, vous êtes muté à l'Union Européenne en qualité d'A.P.S, et ce conformément à la convention de la SCAB-CONGO avec ladite organisation internationale.

À cet instant, je donnai raison à Vincent de Gaulejac qui affirmait que : *"Le sujet n'était pas un état, une substance, un déjà-là, mais une potentialité, une virtualité, un devenir"*[6]. En effet, je comprenais que fondamentalement notre identité individuelle préside quelques fois notre déterminisme. En ce sens, nous la construisons à la suite des actes que nous posons, et de l'image que nous projetons au monde.

Je ressortais des locaux de la SCAB le cœur léger comme si je venais d'un coup d'être libéré d'un fardeau.

---

[6] GAULEJAC, Vincent de. – *Le sujet n'était pas un état, une substance, un déjà-là, mais une potentialité, une virtualité, un devenir.*

BIBBLIOGRAPHIE

1- AMADOU Hampaté Bâ. – *Ô destin ! Tu es une ombre bizarre. Quand on veut te tuer, Tu fuis Quand on te fuit, Tu* suis.

2- CONAN DOYLE, Arthur. – *Le travail était le meilleur remède contre la tristesse (...)*

3- GAULEJAC, Vincent de. – *Le sujet n'était pas un état, une substance, un déjà-là, mais une potentialité, une virtualité, un devenir*

4- LUTHER KING, junior. – *Il n'y a pas de sot métier, il n'y a que de sottes gens (...), tout travail a de la dignité et de l'importance*

5- ROMAIN Jacques. – *Gouverneurs de la rosée Gouverneurs de la rosée*

6- SARTRE, Jean Paul. – *précède l'essence.*

7- SASSOU NGUESSO, Dénis. – *discours à la Nation du Président de la République, prononcé le 12 août 2015.*

Imprimé en Allemagne
Achevé d'imprimer en janvier 2020
Dépôt légal : janvier 2020

Pour

Le Lys Bleu Éditions
128, rue La Boétie
75008 Paris